1
Tolg Teolaí

Mise agus Sibéal, is linne an tolg!
Is breá linn é!
Sibéal ag alpadh seacláide,
milseán agus brioscaí.
Mise ag scríobadh chun mo
chrúcaí a choinneáil deas géar.
Saol breá!

Cloisim cnag ar an doras.
Osclaíonn Daid é.
"Ar fheabhas! Tagaigí isteach!"
ar seisean. Tagann beirt fhear
isteach ag iompar tolg nua.
"Úúúú, tá sé go hálainn! An
bhfuil cead agam suí air?" arsa
Sibéal agus sceitimíní uirthi.

4

"Tá," arsa Mam léi.
"Ach má fheicim oiread agus blúire
bia air, beidh mé crosta!" Ansin,
féachann sí ormsa: "ná oiread agus
scríobadh amháin ach oiread!"

Ha! Bíonn an bhean sin
greannmhar uaireanta!

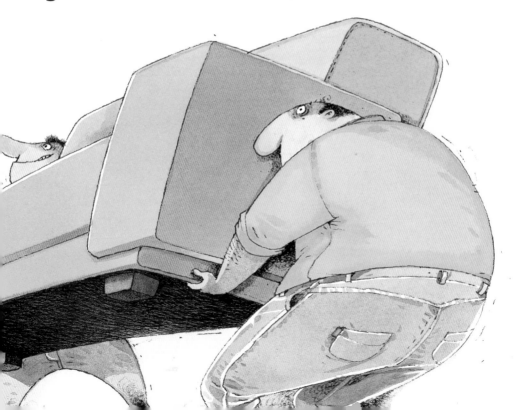

Suíonn an triúr acu ar an tolg,
Sibéal i lár baill.
Hé! Níl aon spás ann domsa!
Ar nós dealbha atá siad!
Seafóid! Beidh mo sheans
agam ar ball.

Tá sé in am ag na dealbha dul a chodladh. Is liomsa an tolg anois! "Amach as an seomra suí," arsa Daid liom. An gceapann sé gurb eisean atá i gceannas an tí? Amach liom, mar sin, ach tiocfaidh mé ar ais!
Ach fan! Cad é sin a chloisim?

Clic-clac!
Tá sé tar éis an doras a chur faoi ghlas!

Ach cad faoi mo chrúcaí?
Conas a chuirfidh mé faobhar
orthu? Níl seo sásúil, beag ná mór!
Fan – cén boladh deas é sin?
An seantolg!
Caite amach leis an mbruscar!
Léimim suas air. Sáim mo chrúcaí
isteach ann. Á, a sheanchara dhil!
Is deas tú a fheiceáil arís!

2
Tús an Chogaidh

Ar maidin, nílim in ann dul i ngiorracht scread asail den tolg nua. Tá Mam mar gharda ag an doras. A dhiabhail!
Conas a chuirfidh mé faobhar ar mo chrúcaí?

"Seo duit, a Mháire Treasa!"
arsa Daid os ard.
Tá cnap mór adhmaid aige.
"Air seo a chuirfidh tú faobhar
ar do chrúcaí," ar seisean agus é
an-sásta leis féin.

Déanaim smidiríní den chnap adhmaid. Tá an áit ina phraiseach. Ligeann Daid béic as ach tá Sibéal sna trithí ag gáire.

Tagann Mam abhaile ón mbaile
mór agus rud éigin ina láimh aici.
"Is féidir faobhar a chur ar do
chrúcaí air seo, a Mháire Treasa."
Leagann sí an diabhal rud ar an
urlár in aice le seastán na gcótaí.

14

Taispeánfaidh mise dóibh!
Ní ormsa an locht má tá cóta ar
crochadh in aice leis.
Tá an cóta ina ribíní!
Tá Mam ag screadach ach tá
Sibéal ag gáire arís.

Cuireann Sibéal cogar
i gcluas Dhaid.
Tá rud éigin ar bun acu.
Beireann Daid greim orm
go tobann. Cuireann sé faoi
ghlas i gcás beag mé.
Ní maith liom é seo!
"Cuirfimid snas deas ort. Beidh tú
an-ghalánta!" arsa Sibéal.
Hé – ní shin atá uaim! Scaoiligí
saor mé, a scabhaitéirí!

Tugann siad chuig Parlús na gCat mé! Chun faobhar a chur ar mo chrúcaí! "Taitneoidh sé seo leat, a Mháire Treasa," arsa Mam. Scaoiligí amach mé agus taispeánfaidh mé duit cad a cheapaim faoin áit amaideach seo!

3
Néal Codlata

Tá Daid le ceangal.
"Níl cead isteach agat,"
ar seisean liom.
Amuigh san fhuacht i m'aonar
atáim. Agus sé an tolg gránna
nua sin is cúis leis!

Cuireann Daid mo chiseán amach
sa seid. Tugann Mam greim bia
dom amuigh sa chlós.
Ha! Nach iad atá cineálta!
Téim sall go dtí an bruscar
agus suas ar an seantolg liom.
Á, a sheantolg, a chara,
níl fanta agam ach tú féin.

Feicim Sibéal san fhuinneog,
na deora lena súile.
Bíodh aici agus a tolg nua!
Is fearr i bhfad an seancheann seo.

Amuigh san oíche dhorcha
liom féin atáim. Gan Sibéal.
Tá deireadh le féachaint ar an
teilifís le chéile.
Ní dhúiseoidh mé arís ar maidin í.
Rachaidh mé a chodladh go
huaigneach as seo amach.

Ach, fan! Cad é an torann sin?
A thiarcais!
Sibéal atá ann!
"D'airigh mé uaim thú," arsa sí.

Caithimid oíche bhreá
chompordach inár gcodladh
amuigh faoin spéir.
Tá sé ina raic ar maidin.
"Cá bhfuil Sibéal?"
a screadann Mam.
Cloisim ag teacht iad.

Anois a bheidh an raic!
Tá faitíos orm.
Cén pionós a ghearrfaidh
siad orm an babhta seo?

27

Tagann ciall chucu faoi dheireadh!
Huuráá!
Tá an seantolg ar ais sa seomra suí.
Tá Mam agus Daid ar an tolg nua.
Tá mise agus Sibéal ar ár sáimhín
só – ar an seantolg!

Bí ag spraoi liom

An cuimhin leat?

1. Roghnaigh na rudaí a itheann Sibéal ar an tolg.

2. Pioc amach an rud seafóideach a cheannaigh Mam!

3. Céard eile atá caite sa bhruscar?

4. Cén ceann acu seo a d'fhág mé ina ribíní?

Níl sé ceart ná cóir! Bímse do mo mharú féin sna scéalta a scríobhann mo dhuine Moncomble agus céard a bhíonn ar siúl ag an Máire Treasa eile, í siúd thíos, sa ghrianghraf? Diabhal mórán!

Hé – is liomsa an piliúr sin!

Tá cleasanna seafóideacha agamsa chomh maith!

Poll a dhéanamh? Sin éasca. Ach caisleán – sin scéal eile!

Foilsithe den chéad uair ag Éditions Hatier, Páras, An Fhrainc, faoin teideal
Moi, Thérèse Miaou: Á nous le canapé! © Hatier, 2009, Páras.
© Futa Fata, 2013, an leagan Gaeilge
An dara cló © 2017 Futa Fata
Gach ceart ar cosaint.